D0184373

Traduit par Nicolas Dupin

Édition originale parue sous le titre :
« The Golly sisters go west »
aux Éditions Harper Collins, USA
Licence d'édition Harper Collins

Imprimé en CEE
ISBN : 2-88445-265-6

PETITE BIBLIOTHÈQUE CALLIGRAM

Les Sœurs O'Lala au Far West

de Betsy Byars
Illustré par Sue Truesdell

CALLIGRAM
CHRISTIAN GALLIMARD

LES SŒURS O'LALA PARTENT DANS L'OUEST

Les sœurs O'Lala étaient assises
dans leur chariot.
Elles partaient au Far West.
– En avant ! dit Lucie en s'adressant
au cheval.
Mais le cheval ne bougea pas.

– Ça me rend folle, dit Lucie.
Notre chariot est prêt. Nos chansons
et nos numéros de danse sont prêts.
Et le cheval ne veut pas partir.
– Moi aussi ça me rend folle, dit Rose.
– Ce cheval a quelque chose qui cloche.

Rose descendit du chariot.
Lucie descendit aussi. Elles firent le tour du cheval.
– Est-ce que tu vois ce qui cloche ? demanda Lucie.

– Non, mais il y a quelque chose qui cloche quand même, répondit Rose. Quand on lui dit « en avant », ce cheval ne bouge pas.

– Et si le cheval ne part pas, nous ne partons pas non plus, dit Lucie.

Tout d'un coup, Rose annonça :
– Sœurette ! Je viens de me souvenir de quelque chose. Il y a un mot en cheval pour dire « partons ».
– Un mot en cheval, dit Lucie. Quel mot ?
– Hue ! dit Rose.

Et le cheval partit.

– Stop ! Stop ! cria Lucie. Y a-t-il un mot en cheval pour dire « stop » ?
– Oui, c'est « holà », répondit Rose.
– HOLÀ ! hurla Lucie.

Et le cheval s'arrêta.
Les deux sœurs remontèrent
dans leur chariot. Rose prit les rênes.
– Hue, cheval, dit-elle.
Et le cheval se mit en route.
Lucie déclara :
– Maintenant que nous connaissons
tous les mots utiles, nous pouvons aller
au Far West.
– Oui, dit Rose.
– Alors, c'est parti !

LES SŒURS O'LALA PRÉSENTENT LEUR NUMÉRO

C'était la première fois que les sœurs O'Lala présentaient leur numéro de danse et de chant. Elles jetèrent un coup d'œil par les rideaux entrouverts. Il y avait des hommes, des femmes, des enfants et même des chiens.

– Saperlipopette, je me sens fin prête ! dit Lucie. Toi, tu ouvres les rideaux, et moi, j'y vais la première.

SHOW
TODAY

– Je veux y aller la première moi aussi, dit Rose.
– C'est toi qui as la robe bleue, donc c'est à moi d'y aller en premier, dit Lucie.

– C'est moi qui ai la robe bleue parce que le bleu ne te va pas, dit Rose.

– Qui a dit que le bleu ne m'allait pas ? demanda Lucie.
– Tout le monde ! dit Rose.

– Donne-moi le nom d'une seule personne qui a dit que le bleu ne m'allait pas.
– Tout le monde, dit Rose.
– J'en était sûre, dit Lucie. Tu n'es même pas capable de trouver un seul nom.
– Oh ! que si !
– Oh ! que non !
– Oh ! que si !
– Qui, alors ?

– Mmmmm, laisse-moi réfléchir, dit Rose.
– Tu vois. Même pas capable de trouver un seul nom. Admets-le ! Admets-le ! Admets-le ! cria Lucie.
– D'accord, j'admets, dit Rose. Nous n'avons qu'à y aller toutes les deux en premier. Nous chanterons et nous danserons ensemble.
Rose ouvrit les rideaux.

– Oh ! la la ! dit Lucie, les gens en ont eu assez de nous attendre. Ils sont tous rentrés chez eux.
– Tu ne vas pas te mettre à pleurer, Rose ? demanda Lucie.
– Non, dit Rose. Ils ne sont pas tous rentrés chez eux. Les chiens sont encore là.
– Sœurette, est-ce que nous faisons notre numéro pour les chiens ?
– Moi oui, dit Lucie.
Alors Lucie et Rose firent leur numéro devant les chiens.

SHOW
ODAY

– C’est formidable ! dit Lucie.
– C’est bien vrai, dit Rose en chantant.

LES SŒURS O'LALA SE PERDENT

– Nous sommes perdues, dit Lucie.
– C'est ce que je craignais, dit Rose.
– Es-tu inquiète, Lucie ?
– Non. Je sais ce qu'il faut faire
quand on est perdu.

– Vraiment ? Que faut-il faire ? demanda Rose.
– Premièrement, dit Lucie, il faut aller à l'arrière du chariot. Deuxièmement,

il faut se faire une tasse de thé. Troisièmement…
– Attends, Lucie, laisse-moi dire au cheval de s'arrêter. Je ne peux pas préparer le thé si le cheval marche.

– Non ! Surtout pas ! dit Lucie.
Il ne faut pas arrêter le cheval.
C'est ça le troisièmement.
– Y a-t-il un quatrièmement ?
demanda Rose.
– Oui ! dit Lucie. Il faut chanter !
Vas-y, Rose, commence.

– D'accord, dit Rose. Je vais chanter « Quand les sœurs O'Lala sont perdues ». C'est une chanson qui parle de nous.

– Maintenant à mon tour, dit Lucie. Je vais chanter « Le courage des sœurs O'Lala ». C'est aussi une chanson qui parle de nous.

Et tandis que Lucie chantait, le chariot avançait, avançait.

Rose chanta une nouvelle chanson,
et Lucie aussi.
Puis elles chantèrent ensemble.

– Je me demande si nous sommes
encore perdues ? demanda Lucie.
– Je vais vérifier, dit Rose.
A ce moment précis, elles entendirent
des applaudissements. Elles sortirent
la tête du chariot pour regarder dehors.

Elles étaient au beau milieu d'une ville. Il y avait des tas d'hommes et de femmes. Il y avait des tas d'enfants et de chiens.

– Nous avons donné un
spectacle sans le savoir ! dit Lucie.
– Un spectacle formidable ! dit Rose.
Nous devrions nous perdre plus souvent !

Les sœurs O'Lala saluèrent.
– Merci, merci, dirent-elles.

LE CHEVAL FAIT SON NUMÉRO

– Je veux que le cheval danse avec nous pendant le spectacle, dit Lucie.
– Non, Lucie, dit Rose, le cheval ne sait pas danser.

– Donne-lui une chance de faire ses preuves, Rose. Tu te souviens de nos débuts ? Nous non plus, personne ne croyait que nous savions danser.
– Lucie, ce cheval ne sait pas danser !

– Fais-moi confiance, Rose.
Tu annonces : « Et voici ma sœur Lucie
et son cheval dansant ».
Le cheval et moi ferons le reste.

Ce soir-là, Lucie monta sur le cheval.
– Nous sommes prêts, cria-t-elle.
Rose annonça au public :
– Et voici ma sœur Lucie et son cheval dansant !

– En avant, cheval,
dit Lucie.
Mais le cheval
ne bougea pas.
– Et voici ma sœur Lucie
et son cheval dansant,
répéta Rose.
– Allez, cheval, dit Lucie.
Mais le cheval ne bougea
pas d'un poil.

Rose annonça :
– En attendant Lucie et son cheval dansant, je vais vous chanter une chanson.
Quand Lucie entendit ça, elle cria « Hue ! »

Le cheval bondit ! Il sauta sur scène,
puis il sauta hors de scène.
Lucie hurla « OUAAAAAHHHH ! »

Le cheval traversa la ville au galop,
puis il sortit de la ville au galop.
– Eh bien, quel dommage ! dit Rose.
Il n'y aura pas de cheval dansant.
Ni de Lucie, d'ailleurs. Mais ne vous
inquiétez pas. Je vais vous interpréter
ses chansons et ses danses.

Tard dans la nuit, Lucie rentra.
Elle s'effondra sur son lit.
– Sœurette, tu avais raison, dit-elle.
Ce cheval ne sait pas danser.

LILI PERD SON CHAPEAU

– Lucie, es-tu prête ? demanda Rose.
– Non, je ne suis pas prête ! répondit Lucie. Ma chanson s'appelle « Avec mon joli chapeau rouge », et je ne trouve pas mon joli chapeau rouge !

– Tu veux que j'y aille la première ? demanda Rose.
– D'accord, mais ça me rend folle. C'était à mon tour d'y aller en premier.
Tandis que Rose chantait, Lucie continua de chercher son chapeau. Quand Rose sortit de scène, Lucie cherchait encore son chapeau.
– Je veux mon chapeau ! hurla-t-elle.

– As-tu regardé sous mon lit ?
demanda Rose.
– Pourquoi mon chapeau serait-il sous ton lit ? demanda Lucie.
Elle regarda sous le lit de Rose.

Le chapeau y était !

Voilà donc où se cachait ce satané galurin !
– Maintenant je suis vraiment folle de rage, dit Lucie. C'est toi qui as caché mon chapeau !
– Ce n'est pas bien grave, Lucie, dit Rose. Maintenant au moins tu peux chanter ta chanson.

– Je voulais chanter la première !
La première ! La première ! La première !
hurla Lucie.

– Stop, cria Rose. Tu écrabouilles ma coiffure. Arrête Lucie !

Lucie arrêta et regarda son chapeau.
– Rose ! dit-elle, pour commencer,
je n'ai pas pu chanter parce que
je ne trouvais pas mon chapeau.
Et maintenant, je ne peux pas chanter
parce que j'ai écrabouillé mon chapeau.
– Ma coiffure aussi est écrabouillée,
dit Rose.
– Rose, dit Lucie, annonce au public
que je vais lui interpréter une danse
triste intitulée « La danse du chapeau
écrabouillé. »

– Cher public, dit Rose, voici Lucie et sa « Danse du chapeau écrabouillé. »
Lucie dansa. Le public se mit à applaudir.
Lucie se tourna vers sa sœur.
– Je te pardonne, Rose, dit-elle.
– Moi aussi, je te pardonne, dit Rose.

LES SŒURS O'LALA ONT PEUR

C'était par une nuit très sombre.
On ne voyait même pas la lune.
– J'ai entendu un bruit dehors, dit Lucie.
Il y a quelque chose près du chariot.
– Qu'allons-nous faire ? demanda Rose.

– Il faut que l'une de nous deux aille voir, dit Lucie. C'est moi qui ai entendu le bruit, à toi d'aller voir.
– Pourquoi devrais-je y aller ?
C'est ton bruit à toi, dit Rose.
– Pourquoi faut-il que ce soit toujours moi qui fasse tout ici ? demanda Lucie.

– Je n'y vais pas, dit Rose.
– Alors, je n'y vais pas non plus, dit Lucie. Et toc !
– Toc-toc toi-même ! dit Rose.
Lucie se redressa dans son lit.
– Tu te souviens de notre premier spectacle, Rose ? Nous nous étions disputées parce que tu avais dit que le bleu ne m'allait pas ?
– Oui, dit Rose. Nous nous étions disputées si longtemps que tout le monde était parti.

– Peut-être que la même chose vient
de se passer avec ce bruit, dit Lucie.
Je n'entends plus rien maintenant, et toi ?
– Je n'entends rien du tout, dit Rose.
Lucie dit alors :
– Rose, nous ne devons jamais plus
nous disputer, sauf…

– Sauf si nous entendons un bruit
dehors près de notre chariot, dit Rose.
– Rose, c'est exactement ce que j'allais
dire. Tu ne m'as pas laissé le temps
de finir ! Pourquoi as-tu dit que…
– Lucie ?
– Quoi ?
– Bonne nuit.
– Bonne nuit, Rose.

Et la lune apparut.
Et les étoiles se mirent à briller.
Et les sœurs O'Lala s'endormirent instantanément.